KB096691

인생은 행복 여행이다

선생님은 캘리김여사

선생님은 캘리김여사

발　행 | 2023년 12월 25일
저　자 | 캘리김여사
펴낸이 | 한건희
펴낸곳 | 주식회사 부크크
출판사등록 | 2014.07.15.(제2014-16호)
주　소 | 서울특별시 금천구 가산디지털1로 119 SK트윈타워 A동 305호
전　화 | 1670-8316
이메일 | info@bookk.co.kr

ISBN | 979-11-410-6198-2

선생님은 캘리김여사

캘리김여사 지음

편한 대로 보는

시작하는 말   7

[교단여행]
자기 주도적 찐 진로 수업   10

[워킹맘여행]
엄마니까 다 알지   72

[인생여행]
인생은 여행이다   124

[진로여행]
선문답. 은퇴 진로란?   176

덤으로 보는

[캘리여행]

생택쥐페리_사랑이란. 둘이서 같은 방향   218

맺는 말   239

시작하는 말

김여사는 선생님이었다. 평생을 걸어왔던 교직에서 은퇴하고, 이제 시간의 자유를 얻어 새로운 진로 여행을 떠난다. 캘리김여사는 캘리그라피와 미숙하지만 실행력을 가진 김여사의 합성어이다.

https://blog.naver.com/h83kms

교단여행

학교 내 여러 행사 중 학생 참여 활동이 가장 많은 것이 '학교 축제'이다. 참여하는 정도에 따라 단순히 하루를 즐겁게 노는 것이 아니라 능동적 주인공이 되어 학습 능력 외의 꿈과 끼를 분출하며 자신의 진로를 기획해 가는 교육과정이다.

[교단여행 1] 자기 주도적 찐 진로 수업

학교 축제 학급 부스 의견 수렴에
학생들 사이 관심과 열기가 뜨겁다.

회의 진행자는 똘똘하게 지워가며
서로 간의 생각 차를 좁혀 나간다.

교육은 백년지대계(百年之大計)라.
백 년을 내다보는 설계가 필요하다.

학생, 교사, 부모가 더불어 성장하는
사람이 하는 일 중 으뜸가는 몫이다.

김티처는 아이들 졸업 앨범 속에 곱게 남고 싶다.

[교단여행 2] 오늘. 가장 젊은 날

게으른 김여사 출근길에 화장하다.
오늘. 졸업 앨범 촬영에 대한 예의

책장 구석 단골 메뉴로 자리 잡는
졸업 앨범은 구시대 유물이라지만,

학생들에게는 가끔씩 꺼내 보면서
신성한 추억을 쌓는 놀이가 되리라.

지난 시절은 다시 올 수가 없기에
누구에게나 소중하면서도 아름답다.

질풍노도의 중딩을 누가 막을 쏘냐?

[교단여행 3] 요즘 중딩의 꿈은 로또

학생: 저의 꿈은 돈 많은 백수예요.

교사: 세상에 그런 건 없어.

학생: 로또에 당첨되면 가능해요.

교사: 로또 당첨은

번개 3번 맞고 살 확률보다 낮다는 디.

학생: ??

교사: 얘야. 꿈은 스스로 만들어 가는 거란다.

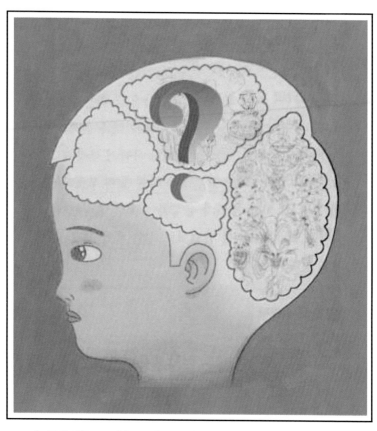

뇌 속에 있는 그림은 중딩 그들의 '이해할 수 없는 습작물'이다.

(출처: 비상출판사)

[교단여행 4] 중딩의 놀라운 정신세계

이것은 진정 세대 차인가?

알 수 없는 습작을 자랑하다
자기 신바람에 꼴꼴 넘어간다.
그들만의 세계에 빠져들어가

손가락 하트 뿅 뿅 날리면서
　"선생님이 최고야."
　"선생님. 사랑해요."
연신 남발하는 중딩들 세계가
나는 너무도 이해하기 어렵다.

스승의 날. '모두 같이' 담임 선생님께 보낸 사랑의 편지

[교단여행 5] 아이디어 뱅크 중딩

NO. NO. 사고뭉치 중딩 아니에요.
YES. 아이디어 뱅크 중딩이랍니다.

스승의 날 감사 편지를 급우 모두
함께 하니 고마움도 최고가 됩니다.

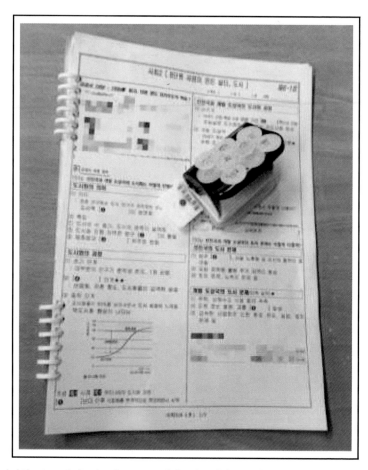

펀치와 스프링이 한 세트로 구성된 제품이다. 중딩들은 오래 듣는 것을 힘들어하여 학습지를 활용한다.

[교단여행 6] DIY 스프링 학습지

어디에서 저렇게 쓰임새가 있는 물건들을
어떻게 이런 활용을 다 생각해 내었는지

발명이든 발견이든 필요가 상황을 해결한다.
일상 속에서 생각하는 힘이 문제를 풀어낸다.

힘듦을 불평 말고, 어려움을 극복해 나가는
아이디어 생활인이 되어 불편을 해소하여라.

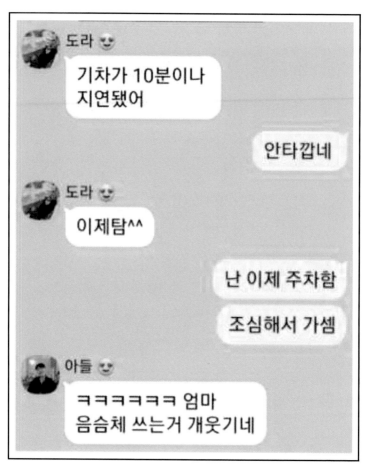

'음슴체'란 주로 온라인상에서 글을 쓸 때, 명사형 어미인 '-음'이나 '-ㅁ'을 사용하여 문장을 종결하는 방식이다.

[교단여행 7] 개 웃기는, 엄마의 음슴체

이 나이에. 선생님께서
'음슴체'가 웬 말인가?

중학생 이해도를 높이고,
중딩과의 세대 차를 좁힘.

이 정도의 노력은 필수임.
앞으로 계속해서 쓸 거임.

교정의 꽃잔디 군화(群花)처럼 모두 함께 가라.

[교단여행 8] 학생을 응원하는 캘리그라피

ㅈㅎ. Cheer Up!
힘차게 나아가라!

꽃길도 '함께' 하라.
모두를 응원합니다.

'무궁화 심기 운동'의 취지와 의미를 돌아본다.

[교단여행 9] 나라 사랑 무궁화

요즘 애국에 대한 간절한 이슈는 없다.
강요에 의해서 애국자가 될 수도 없다.

그러나 서글픈 것은 무궁화를 대하는
우리들의 태도와 자세가 가벼워짐이다.

어릴 적 다섯 장의 꽃잎을 정성스럽게
그려냈던 것은 계기 교육의 성과였나?

넘쳐나는 지식과 정보의 홍수 속에서
무엇을 배우며 가르치고 있는 것일까?

학교 한켠 피고 지는 무궁화 앞에서
나라 사랑과 그 현주소를 되새겨본다.

경상북도교육청 사이버 독도학교 이벤트 '손 글씨로 채워 가는 독도 사랑' 릴레이에 참가하다.

[교단여행 10] 손 글씨 쓰기로 독도 사랑 릴레이

경상북도교육청 사이버 독도학교 이벤트 '손 글씨로 채워 가는 독도 사랑' 릴레이에 참가하였다.

나의 붓펜 캘리그라피 손 글씨에 삽입한 괭이갈매기 독도지킴이 그림은 2022학년도 ㅅㅍㅊ 중학교 독도 캐릭터 그리기 대회 수상작 ㅅㄴ 학생의 작품이다.

마음의 여유는 없지만, ㄱㅇㅅ 선생님과의 약속을 지키기 위해 홈페이지 이벤트 게시판에 얼른 올렸다. 많은 이들이 참여해서 독도 사랑이 '릴레이 관심'으로 계속 이어지기를 바란다.

DIY 명화 그리기. 고흐의 카페테라스(40cm×50cm 규격)

[교단여행 11] 협력학습. DIY 명화 그리기

1. 방과후학교 또는 학기 말 정기고사 후 활용
2. 한 모둠에 3~4명 정도 구성하는 것이 적절
3. 집중력과 인내심, 협력을 통한 책임감 향상

미술 실력이나 그림 그리기 재능과는 아무런 관련이 없다. 가는 붓으로 아크릴 물감을 번호에 맞춰 메꾸기만 하면 멋진 명화가 완성되므로 결과물에 대한 '성취감'이 매우 크다.

꿀팁1. 1인 1작품은 작업량이 과다하여 학생들이 지루해한다. 모둠 협력학습을 권장한다.
꿀팁2. 색깔이 달라지면 붓만 씻고, 물감은 물을 섞지 않고 사용해야 선명한 그림이 된다.
꿀팁3. 그림의 크기가 너무 작으면 색칠하기 어려우므로 적절한 규격을 추천한다.

느타리버섯 볶음. ㄴㅎㅈ 학생의 인증샷

[교단여행 12] 환경동아리. 느타리 요리 인증샷

환경 사랑 동아리 활동으로 '커피 키트 느타리버 섯 키우기' 체험학습을 하였다. 발아부터 2주간 키우고, 수확해서 버섯 요리 인증샷까지 끝났다.

우리가 포자로 만난 지 5일 만에
느타리 아기 버섯이 자라 나왔다.

발아되지 않으면 어쩌나 조바심은
아무 쓸데 없는 걱정(杞憂)이었다.

유기농법의 정석. 자연스럽게 키 큰 청포도는 뒤에

[교단여행 13] 생태교육. 유기농 학교 텃밭

홀로 혹은 더불어
자연(自然)의 힘으로 살고

자연스럽게 작으면, 앞으로
자연스럽게 키가 크면, 뒤에

틀림이 아닌 '다름'으로
무질서 속에서 질서를 찾는다.

때로는 보이는 수확보다
보이지 않아도 조화를 찾는다.

본교에 전입 와서 가장 먼저 눈에 들어온 것이 오래된 나무였다.

[교단여행 14] 나무는 학교 역사의 산증인

사람은 가고,
나무가 그 자리를 지킨다.

학교의 역사는
스스로 견뎌낸 나무가 말한다.

나무는 70년 풍파를
늠름하게 이겨낸 산 증인이다.

젠틀하고 스윗한 ㄱㅊㅇ 선생님이 찍어 준, 비 온 후 깨끗한 ㅈㅍㅊ 교정

[교단여행 15] 흐린 하늘이 준 선물(교정의 봄)

간밤 귀한 손님 봄비가 와서
귀한 선물 두고 몰래 가셨네.

흐린 하늘이 준 깨끗한 교정.
모처럼 비 개인 후의 산뜻함.

아침 교정의 생기발랄한 달개비꽃

해가 중천에 뜨니, 정오에 지는 달개비꽃

[교단여행 16] 야생화 달개비(교정의 여름)

닭의 벼슬을 닮아서 '닭 벼슬 꽃'
닭장 근처에 핀다하여 '닭의 장풀'

아침에 폈다 해가 뜨면 진다하여
꽃말이 '순간의 즐거움'이랍니다.

저의 또 다른 이름은 달개비라
하오니 그렇게 부르셔도 됩니다.

시골 학교 교직원 사택 뒷집과 산의 가을 풍경

[교단여행 17] 아주 가까이 있는 계절(교정의 가을)

계절의 변화는 멀지 않은
내 옆 아주 가까이 있어요.

단풍이 들고, 낙엽이 져도
정작 느끼지 못하는 것은

우리 눈과 마음이 그곳에
머물지 못하기 때문이지요.

시골 정서   도시 정서

전교생이 기숙사에서 생활하는 작은 시골 학교. 등굣길 학교 현관 앞에
앙증맞은 눈 곰돌이와 눈 오리를 나란히 세워 둔 모습이다.(왼쪽)
나의 캘리 싸부가 보내준, 대규모 도시 학교의 눈 온 뒤 휑한 운동장 모
습이다.(오른쪽)

44

[교단여행 18] 같은 중딩의 다른 정서(교정의 겨울)

손 호호 불며 굴려서 만든
투박한 눈사람은 운치 있다.

도구로 찍어낸 눈 곰돌이는
앙증맞고 깜찍해서 새롭구나.

도시 중딩은 도시의 감성으로
시골은 시골 중딩의 정서대로

3월 말 어느 날. 퇴근 무렵에 학교 일과 중 8,296보를 걸었다는 것을 알게 되었다. 일하면서 운동도 하는, 긍정 마인드로 날마다 건강 만 보 예약이오.

[교단여행 19] 하루에 교내 8,296보

우리 학교는 1952년 개교하였다. 오래된 학교라 건물 간 동선이 길다.

본관, 후관과 신관에다 다목적 강당과 급식소까지 이동하다 보면 하루 5천 보 정도는 가볍게 넘긴다.

처음 3월에는 놀라웠는데, 이제는 하루 만 보 걷기가 쉬워 건강한 근무지라 생각한다. 일하면서 운동도 하는 좋은 학교이다.

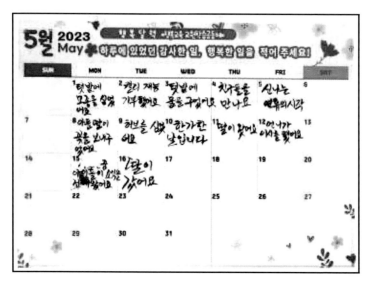

오월은 앞만 보고 가던 나의 교직 생활에 은퇴의 갈등을 가져다주었다.

(출처: 교원학습공동체)

[교단여행 20] 못다 채운, 행복 달력

오월을 맞이하여 행복도 연습이라며
감사와 행복으로 하루 한 칸 한 칸

행복 달력의 나날들이 멈춰버렸어요.
소중한 감사도 행복도 잃어버렸어요.

다시 오월이 오면, 못 다 채운 빈칸에
한 칸 두 칸 가득 채울 수 있을까요?

학교 급식은 저마다의 추억이 있다. 균형 잡힌 식단과 기대를 저버리지 않는 메뉴는 학교생활을 하는 학생이나 교직원 모두에게 큰 가쁨을 준다.

오늘의 주메뉴는 비빔밥과 치킨, 재미있는 '해답 초콜릿'이다. 나의 해답 은 '당신은 별로 관심 없다'이다.

[교단여행 21] Lunch is good

키다리 백인이 해맑은 얼굴로
"Lunch is good."이라 한다.

아직 학교가 낯설 때가 있는데
짝꿍 로버트도 그중에 하나이다.

맛난 거 먹고, 즐겁게 여행하고
일하는 목적이 너무나 분명하다.

로버트는 항상 현재에 진심이다.
로버트에게서 내가 배울 점이다.

ㅇㄷㅎ 선생님. 저의 교직 생활에 선생님과 함께 할 수 있어서 행복했습니다. 힘든 고비마다 당신의 일처럼 도와주시고, 인생 한 잔에 풍류를 읊으시며 강건하게 젊은 교사들의 사표(師表)가 되어 주세요.

길가의 목면(木綿) 나무를 보고 그 씨 10여 개를 따서 주머니에 넣어 가져왔다. <三優堂이 생각나다>

52

[교단여행 22] 목화. 멋진 프로필

금오산의 안부부터 먼저 전해주시는,
남다른 인사법의 ㅇㄷㅎ 선생님께서
프로필 사진을 새로이 단장하셨군요.

목화는 솜이 폈을 때만 봐왔던 저라
꽃이 이리 신묘한지 처음 알았습니다.

보기만 좋은 화초가 아니라, 고운 꽃
따스한 솜을 곱절로 나눠주는 목화가
사람도 그리 살라는 큰 가르침이군요.

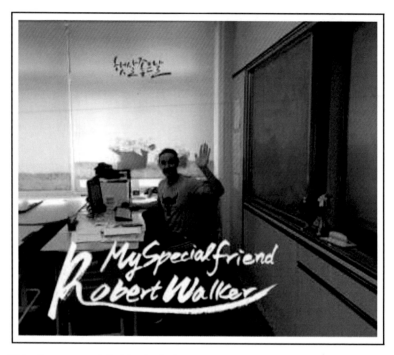

This is my special friend, Robert. He is from Northern Ireland, in the UK, and is an English teacher in my school. Robert is 41 years old, but has a young mindset. You could almost call him kidult. His true passion is to travel and see the world. He even has a tattoo on the back of his arm that says, 'explore', and a map of the world on his shoulder, just above it. He is a true travel buff. Along with Papago, I think Robert is an honest and pleasant person that teaches fun and interesting classes to me.

[교단여행 23] 내 짝꿍은 영국인 로버트

북아일랜드에서 온 내 짝꿍 로버트는

불혹을 넘겨도 정신 연령이 10대라는
찐 키덜트

Explorer와 세계지도를 어깨에 타투한
찐 여행광

파파고와 더불어 솔직하고도 유쾌한
나의 영어 선생님

○○○ 선생님. 하늘이 주신 귀한 선물로 사계절 꽃이 핀 가족이 됨을 축하합니다. 예쁜 따님 건강하게 키우며 행복하게 사세요.

[교단여행 24] 사계절 피는 꽃

교사 ○ ○ ○

우리 모두 꽃을 피워봐요.
사계절 멋진 꽃이 피어요.

봄에는 여린 연둣빛으로
여름엔 얼룩덜룩 땀으로

가을에는 붉은 단풍으로
겨울에는 타닥타닥 불꽃

센스 있는 그녀의 선물 '자동 도장(圖章)'은 여전히 잘 쓰고 있어요. ㅇㅅ
ㅎ 선생님 고마워요.

[교단여행 25] 센스 있는 그녀의 선물

요즘은 우리나라에서도 서명 문화가 많이 확산되었으나, 도장도 여전히 즐겨 쓴다.

정기고사 OMR 카드 확인란에 도장을 찍으면서, 앞으로 교직 생활에 쓸 일이 얼마나 남았을까 생각해 본다.

도장은 수학능력 시험 감독이 소지해야 할 중요 준비물로 예전에는 약간의 문제라도 생길까 우려해서 자동 인주 도장을 쓰지 못하게 하였다. 그래서 나는 오기로 퇴직 때까지 수동 인주 도장을 고수하겠노라 선언하였다. 정말 그럴 생각으로!

그러나 센스 있는 그녀로부터 자동 도장을 선물받은 후, 나의 개똥철학 따위는 아랑곳없이 바로 편리함으로 갈아탔다.

김천 지례면 '자연 속으로'. 만나면 늘 좋은 동료 선생님들이 새로 전입한
시골 학교에 방문하였다.

[교단여행 26] 멀리서 보니 봄 처녀

멀리서 보니, 나물 캐던 봄 처녀
가까이 보니, 쑥 뜯는 아낙네들

바로 보니, 세월도 무심하여라.
우리도 한때는 뜨거웠던 연탄들

먼 길도 한달음 기쁘게 와주셔서
덕분에 행복한 시간 감사합니다.

사진에는 여덟이나 찍사 ㅈㅇ 총무님과 전화 받는 ㅇㅁ 선생님을 포함하면 출석률 100%이다. 돌아보면 그리운 사람들이다. 앞으로의 멋진 시간도 기대된다.

[교단여행 27] 동료 교사. 응답하라 2017

오늘 만난 10명은 2017학년도 학교생활을 함께 한 동료 선생님들이다.

동고동락한 그날부터 이제는 직장 동료라기보다 한동안 만나지 않아도 어제 본 듯, 가족 같은 사람들이 되었다. 연령층도 다양해 집집마다 한창 올망졸망 아이들을 키우면서 어른들도 동반 성장한 생생 역사이다. 애기들은 자라 초등학생이 되었고, 대학 새내기였던 나의 딸도 취준생이 되었으니 격세지감이다.

ㅇㅈㅎ 부장님. 왕언니 ㄱㄱㅎ, 총무님 ㄱㅈㅇ, 사람 좋은 ㄱㅅㅇ, 맘씨 좋은 ㅎㄱㄴ, 멋쟁이 ㅂㅁㅈ, 야물딱진 ㅇㅅㅇ, 매력 허당 ㅇㅇㅁ, 귀여운 허당 ㄱㅈㅁ, 그리고 나. 그 해는 무적 파워 여교사들의 멋진 하모니였다.

이니셜을 새긴 선생님들의 완성품을 모아 기념사진을 찍었다.

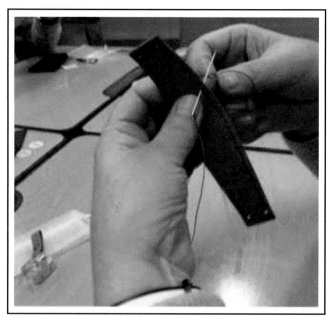

한 땀 한 땀 장인 정신으로 키 링이 완성되고 있다.

[교단여행 28] 교사동아리. 키 링 가죽 공예 활동

오늘의 행복 교사동아리 활동은 가죽 공예 키 링 만들기이다. 바느질이 낯선 시대에 두 개의 바늘을 교대로 한 땀 한 땀 정성을 담아 스티치 하고, 잘린 가죽 옆면에 물을 묻힌 후 여러 차례 문지른다. 부드럽게 손때를 입히는 과정을 거쳐 멋진 키 링이 완성되었다.

몇 년 후 사용감이 더해지면 더욱 정감 있어지고 가치도 높아진다 하니, 그때까지 '행복'도 배가 될 것이라 기대해 본다.

The pen is mightier than the sword.

요즘 학교는 계단에도 교육 홍보용 글귀가 난무한다. 맨 위의 문구가
'Succes follows doing what you want to do'이다.

[교단여행 29] 성공보다 행복이 따라오라

Succes follows doing what you want to do.
성공은 하고 싶은 일을 행하는 것에 따릅니다.

지극히 이상적인 말씀이나, 계단 오르면서까지
학습해야 하는 피로는 누구를 위한 발상일까?

하고 싶은 것 뒤에 성공보다 행복이 따라오라.
학생들이 지향하는 삶이란 진정한 행복입니다.

쓰레기가 차면 선생님이 버린다. 요즘 학교에는 학생 인권을 운운하며 버리는 학생과 교권 추락에 가슴앓이하며 치우는 교사가 있다.

[교단여행 30] 다음 세대. 소는 누가 키우나?

요즘은 쓰레기 봉투 하나 제대로 묶지 못하는 아이들이 생각보다 많다. 학급담임을 하면 생활 속의 사소한 것도 가르쳐야 한다. 그렇지만 이제 그런 교육조차 쉽지 않은 세태이다.

며칠 전 몇몇 학생들과 쉼터에 있던 쓰레기를 수거장에 버리러 갔더니, 2/3 정도밖에 채워지지 않은 종량제 봉투 여러 개가 제대로 묶이지도 않은 채 널브러져 있었다.

쓰레기 종량제 봉투는 세금이다. 그러나 학생도 교사도 해야 할 것들이 너무 많다 보니 이런 일은 관심조차 없다. 또한 학생을 가르치는 것보다 교사가 직접 하는 것이 수월하다. 따라서 학생들에게는 매번이 처음인 경우가 허다하다.

학교에서는 선생님이, 집에서는 부모가 다 하고 학생은 공부만 하라니 도대체 "다음 세대. 소는 누가 키우냐고요?"*

*(출처: 개그 콘서트)

워킹맘여행

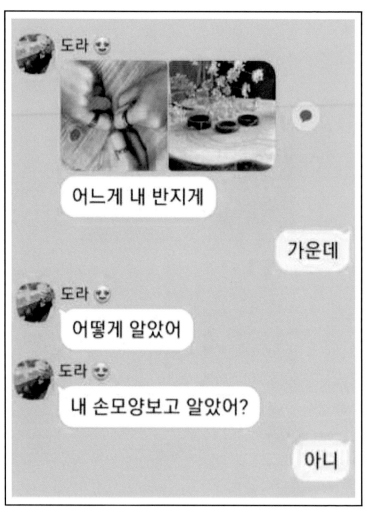

딸은 태어나 3년 동안 이모네서 자랐다. 나무를 이식(移植)한 듯, 집으로
돌아와서는 일상의 가족이 되었다.

[워킹맘여행 1] 엄마니까 다 알지

엄마니까 다 알지.
엄마 딸이니까 뭐든지 알지.

옷깃만 스쳐도 인연이라는데
우리가 서로 모녀로 만난 건

수억 겁 특별한 연이 이어져
이번 생을 함께 하게 된 거지.

워킹맘 자녀의 고충을 잘 이겨내고, 아들딸은 성인이 되었다.

[워킹맘여행 2] Little Sunny. Theo & Dora*

엄마도 태어나서 엄마가 처음인지라
하루하루 좌충우돌 세월이 흘러가니

어느새 아들딸은 어른이 되었습니다.
무탈하고 건강하게 자라 고맙습니다.

*Sunny: 캘리김여사의 영어 이름

 Theo & Dora: 캘리김여사 아들과 딸의 영어 이름

딸의 리마인드 웨딩 선물에 아들이 포토샵 선물을 더하다. 평생의 추억은 더 큰 선물이 될 것이다. 가르침과 배움은 별개가 아니다. 부모가 주는 사랑만 하면, 자식은 받는 것에만 익숙해진다.

[워킹맘여행 3] 자식은 가도, 선물은 남는다

양아치 엄마라고 욕하지 말아라.
자식은 가더라도, 선물은 남는다.

진정으로 자녀를 아끼는 부모라면
치사랑이 내리사랑 됨을 가르치라.

부모를 섬길 수 있는 사람이어야
세상에 나가 나누는 인간이 된다.

이제 재롱떨던 자녀가 곁에 없어도
부모는 선물에 담긴 자식을 새긴다.

2010년 눈밭에서 보기 드물게 놀았던 중딩들이다. 워킹맘의 자녀는 전업
주부 엄마를 둔 아이들보다 친구 사귀기도 힘들다.

[워킹맘여행 4] 자녀의 사회성을 위해 강인한 엄마

유치원생 ㄷㅎ, 중1 딸 ㄷㅎ, 중2 ㅈㅇ 그리고 중3 ㅌㅇ. 이웃의 두 아들은 나의 아들을 매우 좋아했고, 세 남자 아이들 틈에서 딸은 물에 기름 도는 듯하면서도 잘 지냈다. '박학잡기 놀이의 달인'으로 ㅌㅇ이 롤러코스터 만들기를 제안하면, ㅈㅇ은 치밀하게 만들어 내는 환상적인 조합이었다. 당시 나는 아들의 고등학교 진학으로 대안학교를 많이 고민했으나, 집안 사정상 '대안이 될 수 없는 대안학교'에 막혀 그만 멈췄다. 그리고 그때에 필요하다고 판단한, 교우관계 형성을 위해 초등 때까지 보내지 않았던 학원을 보냈다.

이제 아들딸은 성인이 되었다. 과연 그 시기에 한 선택들이 옳았을까 반문해 보지만, 지금도 최선을 다했노라 대답한다. 워킹맘은 신체적으로나 정서적으로 엄마의 강인한 용단이 없으면 많은 혼선을 피해 갈 수 없다.

설혹 그릇된 선택일지라도 삶은 쉼 없이 이어져야 한다. 연습이 없는 인생에 순발력 있게 대처해 왔음을 감사한다.

잘 있어라. 딸래미.
나는 간다.
오후 3:29

도라 😎
어디를
오후 3:30

여기는 도곡역 4번
출구입니다.
오후 3:30

도라 😎
헐
울집안왔네
오후 3:30

딸이 무서워요.
오후 3:31

아들 😎
엥? 엄마 서울갔어?
오후 3:40

예식장까지 혼주가 대절한 차량에 동승 해서 간 동료들도 있었고, 취업 초년생 딸의 고군분투를 보는 것도 마음이 편치 않았다. 그래서 딸에게 들르지 않고 곧장 집으로 되돌아왔다.

[워킹맘여행 5] 부모 자식 간에도 여백을 두자

동료 선생님 아들의 결혼식에 축하하러 서울에 갔다. 지척에 있는 딸에게 갈까 말까 망설이다 그냥 집으로 돌아왔다.

결혼한 아들은 해외 동포라고 부르는 세상이다. 출가한 딸들이 사회생활을 하면서 육아나 살림살이에 있어 시댁보다 주로 친정에 의존하는 세태를 일컫는, 웃지 못할 현실이 그러하다.

부모 자식 지간에도 가끔은 여백을 두면서 가는 것이 좋다.

도리사의 일몰. 도리사는 신라에 온 고구려 아도 화상이 세운, 구미 해평 면에 있는 절이다.

[워킹맘여행 6] Hi! Dora

안녕! 도라*

미국에서 지내던 딸이 자신을 위한 캘리그라퍼를
주문했다. 고심 끝에 도리사의 일몰을 배경으로 엄
마의 정성을 다해서 쓴 글이다.

*도라: 캘리김여사의 딸

군 휴가 중 여동생 원피스 입고 재롱떠는 가오 상실 루돌프 해병. 아들은 일하는 엄마를 만나 유아기에 분리 불안과 정서 불안정에 시달렸다. 20여 년이 지난 오늘도 촉수 같은 나의 안테나가 아들을 향해 있다. 힘든 시기를 이겨내고 건강하게 잘 커 줘서 고마워.

[워킹맘여행 7] 아들. 너로 인해 깨진 해병대 로망

어느 날. 그것도 갑자기. 친구 따라 강남도 아닌 입대를? 아들은 2015년 5월 해병대에 자원입대 하여 2017년 2월에 전역했다.

"아들이 군에 입대한 후 우는 엄마는 여럿 봤지 만, 해병대에 보내고 그것도 시원하다며 웃는 엄 마는 선생님 외에 본 적이 없어요."

"기습 상륙 훈련하면서 100kg이 넘는 보트를 머 리에 이고 달리면 힘들어 죽을 것 같아도 내가 포기하면 다른 전우들이 나의 몫까지 나눠서 완 주해야 하는 미안함 때문에 끝까지 가게 되어요."

"죽겠다 입에 달고 지내지만, 내복 겹겹이 입어 도 살을 에는 한겨울 혹한 속 지붕도 없는 트럭 에 얹혀 사격 훈련 갈 때는 정말로 얼어 죽을 것 같아 그 누구 하나 죽겠다고 불평하는 사람이 없 어요."

콘텐츠가 곤궁할 때는 가끔씩 딸의 저작권을 침해한다.

[워킹맘여행 8] 아즘마 따님의 호칭 정리

여기 아. 즘. 마. 누구인가?
나와 아즘마 따님과의 관계는?

김여사, 아즘마, 오마니, 옴마
그대가 부르고 싶은 대로 불러라.

유통기한 보장받는 생일 선물

[워킹맘여행 9] 유통기한 보장받는 생일 선물

2월 생신 지난 오랜지 3월 말에 와서
뜬금없이, 생일 선물 타령하는 사오정

그려. 상품에만 유통기한이 있겠느냐?
내년 생일까지도 유통기한 보장합니다.

아드님께서 급요청하신 공기청정기는
친절한 택배로 무사히 발송하였습니다.

사진도 요란하게 찍는 엠지 세대

[워킹맘여행 10] 엠지 샷? 엠Z ㅣ 샷!

이것은 무슨 시츄에이션 인지
넘 하는 거 다 하면서 살아라.

청출어람(靑出於藍) 나의 딸
너로 인해 신세대를 보는구나.

살다 살다 이제 사진 보면서도
머리 써야 하는 낯선 세상이다.

엽창 같은, 커튼 봉 들고 가는 김여사

[워킹맘여행 11] 인간병기 김여사

손바닥만한 딸의 원룸 외벽에는
천지 만지 바람구멍이 슈웅슈웅

여그에서 살 때까지는 살아야재.
한파야 물렀거라. 썩 물러가거라.

사회생활 고전에 심장까지 뚫려
호시탐탐 해외 취업에 목을 매고

언제까지 살지 모른다 당근 공주*
엄마의 꿀템 가성비 커튼이 떴다.

*당근 공주: 당근 마켓 공주

국가가 주는 대출 레버리지로 소원성취하였으나, 이제 아들의 집은 어디
까지 자신의 소유일까? 현관까지나 될까?

[워킹맘여행 12] 엄마와 아들의 동상이몽 돈 공부

이상주의 엄마를 둔 덕에 아들은 영끌하지 않고
20대에, 완전히 날로 자가 주택 소유자가 된다.

엄마 이상은 '강제저축', 아들 현실은 '자기주택'
우리는 모로 가도 서울로 가보자며 집을 질렀다.

오늘도 아들은 주택 기금과 대출 상환의 노예로
열씨미 그리고 리얼 처절하게 강제저축 하는 중.

자식이 왕이다. 알바의 라이더 김기사는 대기 중

[워킹맘여행 13] 퇴근과 퇴직

김기사는 여전히
어제 그 위치에서

주인님. 언제까지
대기 중 하나요?

딸은 퇴근하고 싶지만,
엄마는 퇴직하고 싶다.

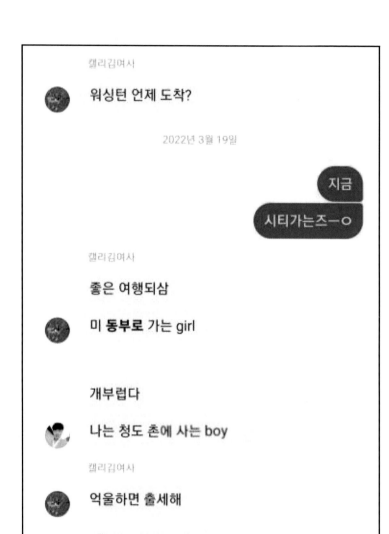

캘리김여사

워싱턴 언제 도착?

2022년 3월 19일

지금

시티가는즈ㅡㅇ

캘리김여사

좋은 여행되삼

미 **동부로** 가는 girl

개부럽다

나는 청도 촌에 사는 boy

캘리김여사

억울하면 출세해

억울하면 출세해 boy

City girl? Country boy?

[워킹맘여행 14] 라임 척척 가족 대화

그대가 꿈꾸는 대로!
City girl? Country boy?

지치지도 않고 잘만 다니는 girl
억울하고 부러우면, 출세해 boy

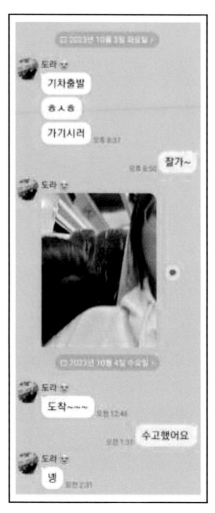

우리는 언제까지 이런 삶을 반복해야 하나요?

[워킹맘여행 15] 딸과 함께 랜선 귀경

어제 저녁 8시 30분에 출발
오늘 0시 30분에 무사 귀환

걱정 많은 엄마는 딸과 함께
랜선 귀경의 동행 임무 완수

내가 헛되이 보낸 오늘은 어제 죽은이가 그토록 바라던 내일이다

Sophoklēs

나는 이즈음 성인이 된 자식에게 숙식 외에 더 이상 부양하지 않겠노라고 선언했던 터라 서로에게 고민이 많았던 때였다.

[워킹맘여행 16] 정성이 하늘에 닿아 아들이 독립

어느 날 드디어 아들이 백기를 들고 "창업을 하기에는 아직 역량도 부족하고, 그동안 막연하게 일의 질만 중요하다 생각했는데 엄마의 블로그 포스팅 작업을 통해 양적인 면도 무시 못 할 강력한 힘이라는 것을 배웠다."라고 했다.

나는 이때 은퇴 후 벗으로 삼을 캘리그라피와 블로그를 꾸준히 했고, 아들과의 갈등도 피할 겸 한 달 동안 블로그에 포스팅한 글이 무려 100편이 넘을 만큼 몰두했다.

캘리와 블로그는 내 인생의 어두운 터널을 빠져나갈 때마다 좋은 길라잡이가 되어 주었다.

다행히 아들은 그해 3월에 경제적으로 독립을 하였다.

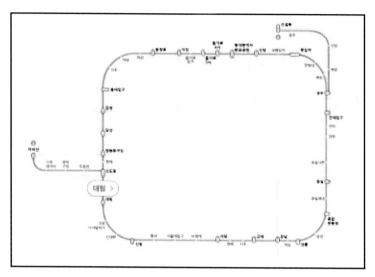

촌놈 상경. 청년 전세 대출에 힘입어 지하철 2호선 원룸 인생 열차 출발
합니다.

(출처: 네이버 지도)

[워킹맘여행 17] 딸의 인생 열차

어느덧 딸도 인생 열차의
치열한 구간으로 합류합니다.

축하합니다.
이제 부모역에서 하차입니다.

2호선을 돌며 부디 평안한
인생 여정 되기를 기도합니다.

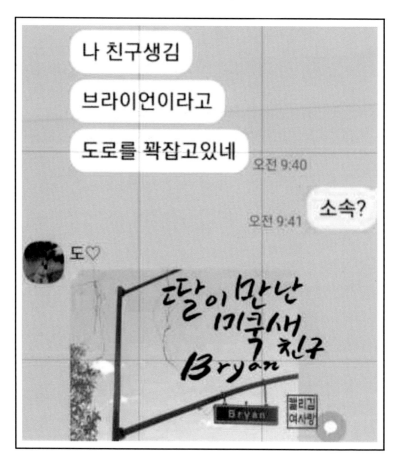

브라이언은 캘리포니아에 있는 도로명이다.

[워킹맘여행 18] 미국 남친의 진실

코로나 와중에 미국 인턴 하러 간 딸이
말할 사람 하나 없어 입에 거미줄 친다

불평을 주저리 늘어놓던 어느 날 갑자기
도로를 꽉 잡고 있는 브라이언을 만났대.

새로 사귄 브라이언? 미국인 남친인가?
알고 보니 브라이언로(路)가 친구였나봐.

모친이 누구신지 너의 운빨이 대박이다.
얼마나 심심했으면 이런 발상을 했을까?

돌아가도 괜찮아. 좀 다르면 어때? 어차피 인생에 정해진 답이란 없어.

[워킹맘여행 19] 달팽이. 느림의 미학

빠르다 자만해도 느리다 걱정해도
종착점은 서로 별반 다르지 않더라.

나이 들면 이뻐도 유식해도 그만
돈 많고 잘나봤자 도찐개찐이더라.

밥 잘 먹고 많이 웃는 자가 제일
병알못*이라도 건강하게만 살더라.

달팽이는 느리지만 제 속도인 것을
자기 속도 맞추어 가면 되는 거지.

*병알못: 병원을 알지 못하는

일로 온나! COME HERE BUSAN

[워킹맘여행 20] 일로 온나! 부산

바다가 명품인 해운대를 거점으로
2박 3일 쏘카 렌트와 뚜벅이 여행

나름 현지 명소 맛집 명물 투어까지
애썼다! 꼰대 엄마 눈높이 맞추느라

사랑해. 다음에는 말 더 잘 들을게.
고마워. 다음에도 또 엄마랑 놀아줘.

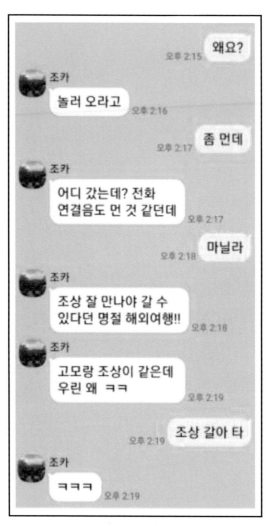

왜 그리 오래 미루었을까?

[워킹맘여행 21] 억울하면, 조상 갈아타

조상 잘 만나야 갈 수 있다던 명절 해외여행
고모랑 조상이 같은데 우리는 왜 못 가는가?

그러니까 억울하면 일찌감치 조상 갈아타지
백만 년 동안 꿈만 꾸던 언니와의 해외여행

말 많고 사연도 많았던 우여곡절 겪고 나니
정작 별것도 아닌데 왜 그리 오래 걸렸을까?

장수는 과연 축복일까? 재앙일까?

114

[워킹맘여행 22] 울 애긔 태어난 지 21,535일

고마워 아들딸. 늘 잊지 않고 기억해 줘서.
21,534일을 돌아보니 참 오래도 살았구나.

앞으로 살아 온 만큼 더 살아가야 한다니
은퇴 후 엄마의 진로가 새삼 걱정이로구나.

아버지의
아버지를
부축하던
그소년
어느듯
백발이되어
아들의
아들에게
부축받으며

한없이
행복했을
그어른감정
느끼고
느끼는
순간이어라

感懷

2022.5.5.

한

어버이날. 코로나를 뚫고 가족들이 모이다.

[워킹맘여행 23] 감회. 새언니는 할머니 시인

곱디곱게 시집왔던 새댁은 어디로 가고
두 분 모두 할머니 할아버지가 되셨구려.

시도 쓰고 그림도 그리면서 남은 인생은
하고 싶은 일 다 하고 건강하게 사세요.

인생 그리 길지 않다 하니 서로 위하며
오래오래 많이 웃고 행복하게 지내세요.

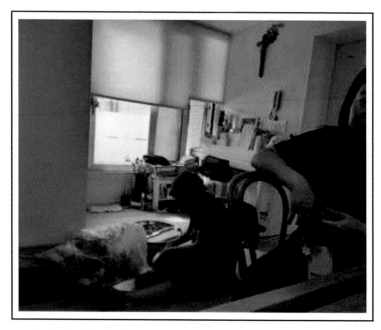

40여 년 김치 장인 작은 새언니가 시누이를 위해 깍두기를 담고 있다.

[워킹맘여행 24] 가족. 그 이름만으로도

2014년 12월. 집안 대소사에 사통팔달 총무를 자처하던 작은 오빠가 투병 끝에 돌아가시고 질녀네와 새언니의 한집살이가 시작되었다. 새언니는 간호사인 딸을 대신하여 '베타 할매', 만능 살림꾼으로서 아침부터 식사는 물론 손녀들 등하교 시키기를 비롯하여 사위의 용돈까지 챙겨주는 부자 장모님이다.

질녀는 이 집의 여왕벌. 말 한마디로 모든 가족을 진두지휘하고 평정하는 능력자이다. 친정엄마는 이 집안의 멀티 책사, 남편은 유머 있고 부지런한 충복, 딸들은 맞춤형 도우미로 둔 전생에 나라를 구한 용녀이다.

힘든 일이 있어도 서로에 대한 서운함보다 걱정을 먼저 하는, 화목한 가정이다.

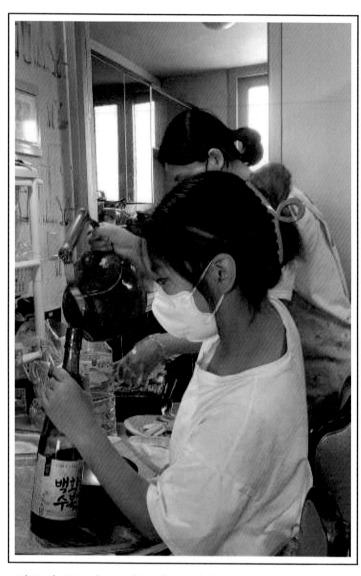

청주 병 좁은 입구로 남은 제주를 따라 넣는, 능숙한 모습의 초딩

[워킹맘여행 25] 희망 초딩. 모던 클래식 교육

나이 차 많은 형제자매 속에서 나는 할머니가 된 지 오래되었다. 가족 계보로 따진 초등 손녀 ㅎㅈ는 추석 차례를 준비할 때부터 엄마 옆에서 돕는 것이 예사롭지 않다 여겨졌는데, 차례가 끝난 후 주전자에 남아있던 제주를 주둥이 좁은 청주 병으로 능숙하게 따라 넣는 모습이 놀라웠다. 한두 번 해 본 솜씨가 아니었다.

자녀 교육은 특별한 것도 대단함도 아니다. 부모가 일상생활 속에서 먼저 보여주고 경험하게 하는 것이 산 교훈이다.

온고지신(溫故知新)은 옛것을 익히고 새것을 안다는 공자님의 논어 말씀이다. 나는 가정교육의 이러한 변화를 '모던 클래식 교육'이라 부르고, 우리 사회의 건강한 미래 세대를 본다.

인생여행

친구 ㅅㅎ이 찍은 경산의 반곡지. 왕버들의 물그림자가 진풍경이다.

[인생여행 1] 인생은 여행이다

어떤 선지자도 능력자라도 죽을 때까지
모든 것을 경험하고 살 수는 없습니다.

인생은 서로가 서로에게 물그림자 되어
비춰주고 돌아보며 가는 긴 여행입니다.

선호 지표의 비교

E	외향 Extrovert 외부 · 표출	내향 Introvert 내면 · 생각	I
S	감각 Sensing 현실 · 실용 · 실천	직관 Intuition 이상 · 이론 · 예측	N
T	사고 Thinking 논리 · 사실판단	감정 Feeling 인간관계 · 가치판단	F
J	판단 Judging 목적 · 계획 · 절차	인식 Perceiving 자율성 · 유동성	P

딸이 나의 MBTI가 ESTJ라고 우기며 못 미더워했다. 재검사를 했지만 나의 성격 유형은 변함없이 INFJ였다.

(출처: 나무위키)

[인생여행 2] MBTI 나의 성격 유형. INFJ

비슷한 것 같기도 하고, 아리송하기도 하다.
INFJ. 내가 선지자다. 이제부터 나를 따르라.

사람은 누구나 양면성을 갖지만 나는 그 정도가
극명한 편이다. 경우에 따라 또는 유동성을 발휘
해야 할 때, 오래전부터 그래왔던 것 마냥 카멜
레온의 보호색으로 정반대의 성향이 바로 나타난
다. 이는 쉽지 않았던 나의 인생을 말해 준다.

죽을 만큼 힘든 일도, 미운 사람도 극복하면 되
는 것이다. 팔자타령 하며 불평하기보다 내가 넘
어서면 된다.

2024년 3월

일	월	화	수	목	금	토
25 1. 16.	26	27	28	29	1 삼일절	2
3 1. 23.	4	5 경칩	6	7	8	9
10 2. 1.	11	12	13	14	15	16
17 2. 8. 금융인 증서 갱	18	19	20 춘분	21	22	23
24 2. 15.	25	26	27	28	29	30
31 2. 22.	1	2	3	4 청명	5 한식	6

적는다는 것이 사소해 보이지만 복잡한 현대인들에게 실수를 줄여주기도
하고, 일의 효율성 면에서도 탁월하다.

[인생여행 3] 적자! 적자생존이다

적어라(write)가 適者生存이다.
메모하는 버릇은 특히 필요하다.

스마트폰 입력이든 종이에 쓰든
기록하는 습관은 매우 중요하다.

생일날 꽃을 받으면, 많이 행복합니다.

[인생여행 4] 처음 그린, 캘리그라피

당신이 있어서 정말 행복합니다.
당신이 있는 지금이 행복합니다.

떨리는 마음으로 처음 잡은 붓펜
쓰지 못해서 그렸던, 캘리그라피

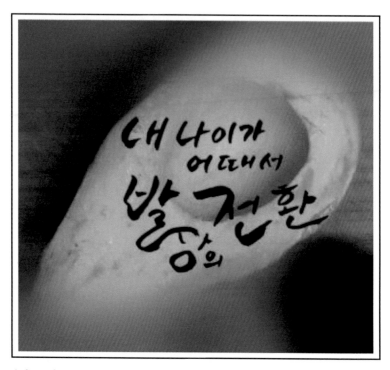

발상을 바꾸니, 블로그도 캘리그라피도 순식간에 가능해졌다. 오랫동안 가졌던 '블로그는 잘 만들어야 하고, 길게 써야 한다'라는 고정관념을 벗어 버리니 쉬워졌다. 모든 것은 욕심이 가로막았던 것이었다.

[인생여행 5] 은퇴기. 도전하기 딱 좋은 나이

발상을 바꾸니, 시간이 많아 좋고
몸도 마음도 얽매일 데 없어 좋아.

은퇴기는 더 많이 더 잘할 수 있는
내 생애 중 도전하기 딱 좋은 나이.*

(출처: 박무부 내 나이가 어때서)

시골 학교 발령으로 본의 아니게 사택과 집을 교대로 퐁당퐁당 돌아오다.

[인생여행 6] 나 위해 행복한 사람

평생 집 떠나 본 적 없는데
집 떠나면 개고생하는 당신

따뜻하게 반겨주는 나의 집
새삼스레 너무 소중한 내집

굳이 누굴 위해 애쓰지 말고
나 위해 행복한 사람이 되자.

캘리김여사는 버킷리스트를 모두 실현하고 싶다.

[인생여행 7] 캘리김여사의 버킷리스트

1. 매년 1회 이상 집 떠나 한 달 살기

2. 아들딸이 주는 용돈 행복하게 쓰기

3. 캠핑카 타고, 일상을 여행으로 살기

4. 캘리그라피를 활용한 봉사활동 하기

5. To be continue ~

비 오는 날의 구미 금오지. 딸은 이모네 원정 육아 기간 동안 헬로 키티 캐릭터를 너무 좋아해서 옷도 신발도 우산까지 모두 키티였다.

[인생여행 8] 거꾸로 우산. From 딸 To 엄마

덩그러니 헬로키티 어린 공주 딸의 우산
비를 피하는 어른들은 필요에 의한 우산

마음 약한 이모가 존중해준 딸애의 선택
키티 우산을 좋아했던 딸은 성인이 되고

알뜰한 당신 엄마가 버리지 못한 그 우산
이십여 년 전 딸로부터 거꾸로 가는 취향

비가 오면 추억을 안고 기티 우산을 쓴다.
어린 딸의 마음으로 헬로키티를 그려본다.

세상은 살아 움직이고 있는데, 우리의 사고는 관성대로 가고 있다. 그래서
가끔 상황 파악이 어려울 때가 있다.

[인생여행 9] 왜? 화요일 교통 체증이 더 심해

월요병. 월요일의 혼잡. 월요일은 바빠.
여유 있는 주말을 보내고, 힘겹게 새 주간을 시
작해야 하는 것은 샐러리맨이라면 누구나 피해
갈 수 없는 애환이다. 그래서 월요일에는 특별한
일이 없어도 심적으로 부쩍 바쁘다.

짝꿍 로버트가 허겁지겁 들어와서 "왜? 오늘은
화요일인데 월요일보다 교통 체증이 더 심해?"라
고 물었다.

교무실 중론을 모아, 교감 선생님께서 명쾌한 답
변을 하셨다. "월요일은 붐비니까 미리미리 서둘
러 준비해서 그렇지." 로버트도 바로 수긍하고,
궁금한 질문의 상황은 모두 종료되었다.

학교 텃밭 올리면 종묘상 이웃

고물상 등 다채롭지

도라 😎
ㅋㅋㄱㅋㄱㄱㅋㄱㅋ

도라 😎
주제가 중구난방

토픽을 일관화해봐

중구난방 블로그 이웃이지만, 그것이 우리의 일상이고 삶이다.

[인생여행 10] 일관성 없는 블로그 이웃

나의 블로그는 일상생활 콘텐츠다.
다소 산만하지만, 그것이 인생이다.

시인부터 농부, 재테크 전문가까지
정해진 삶이 아니라 더욱 흥미롭다.

그동안 단골 주유소를 전전긍긍하며 버텼으나, 이제 주유원 찾기가 하늘
의 별 따기다.

[인생여행 11] 내겐 너무 어려운 셀프 주유

누구나 쉬운 일이라고 하더라도
모든 사람들에게 쉬울 수는 없다.

차 세워 시동 끄고 주유구 열어
동시다발로 해야 일이 너무 많다.

카드 꽂고, 키오스크 입력하면서
내게는 셀프 주유가 너무 어렵다.

시작한 지 1년이 다 되어가지만
여전히 너무 어려운 셀프 주유다.

지구상에서
바퀴벌레보다 강인한
것이 아줌마의 힘!

생면부지 처음 만난 분이
고구마 10kg 둘이서
5kg로 나누자해서
김여사 설득당함.

우리 동네 식자재 마트는 입소문과 공격적인 광고로 멀리서도 장 보러 오는 고객층이 두터운 곳이다. 나중에 알고 보니 김여사를 설득한 그분은 다른 동네에서 온 단골이었다.

[인생여행 12] 아줌마의 힘

우리나라에는 남성과 여성 그리고 또
제삼의 성(性)이라는 아줌마가 있었다.

집 근처 식자재 마트는 산지와 직거래,
좋은 상품을 박리다매로 싸게 판매한다.

나는 모르는 아줌마의 끈질긴 설득으로
10kg 고구마를 5kg씩 사이좋게 나누고

오래 보관이 어려운 고구마를 소량으로
나름대로 합리적인 소비 선택을 하였다.

휴대폰 젤리 케이스는 좀 지나면 누렇게 변색해서 지저분해 보인다. 우연히 유튜브에서 보고 직접 제작했는데, 매우 만족스럽다.

(출처: 2021년 대구은행 달력)

[인생여행 13] 생활꿀팁. 달력이 주는 기쁨

달력 휴대폰 케이스의 만족도 만점이다.
응용한 달력 액자의 만족도 이만 점이다.

철 지난 달력은 원래의 제 역할을 다하고,
고맙게도 달력이 갈아탄 마지막 봉사이다.

따로 비용을 지불하지 않고 배달 음식에 딸려온 서비스 음료나 공짜로 생긴 음식은 뭐든 기꺼이 먹을 기회로 삼는다. 사람에게 맛있는 음식을 먹고 행복할 권리도 있으니, 그 정도는 인간미가 아닐까?

[인생여행 14] 보약 & 정크푸드

나의 먹거리 철학 1순위는 몸에 좋은 것 찾지 말고, 나쁜 것을 삼가는 것이다. 청량음료나 당도가 높은 빵 등 정크푸드로 분류되는 금기 메뉴는 집 안으로 반입하는 것을 불허하였다.

그 덕인지 알 수는 없으나, 두 아이 모두 흔히 겪는 아토피나 비염도 없이 건강한 신체로 성장하였다. 이로써 모든 것은 닥치고 기승전엄마의 공로가 되었다.

엄마의 가시권을 벗어난 나의 아들딸은 컬처 쇼크를 자주 겪었다 한다. 가끔 친구네 가서 계란 프라이 할 때, 식용유를 그렇게 많이 써도 된다는 것을 알고 깜짝 놀랐다며 엄마를 성토한다.

이제 내 앞에 없으니, 뭘 먹고 있는지 굶는지 알 수가 없다. 그러나 나는 여전히 아들딸에게 충고한다. "보약 먹지 말고, 정크푸드를 삼가라."

시골 학교 사택 뒤편에 살고 계신, 서여사님이 갓 담근 김장 김치

[인생여행 15] 좋은 이웃과 최고의 요리

생굴과 갓 담근 김장 김치의 만남이
이리 멋지고 환상적인 궁합일 줄이야.

솜씨와 마음씨가 함께 한 시간
서여사님. 좋은 인연에 감사 드립니다.

그 울림과 여운으로
새로운 인연을 계속 이어나갈 겁니다.

우리는
요리조리

이탈리안 피자 & 우리나라의 빈대떡

[인생여행 16] 피자 & 빈대떡

이탈리안 피자와

　　　　대한민국 빈대떡의 만남

요리조리 요리하다 보면

　　　　요알못* 나도 셰프

*요알못: 요리를 알지 못하는

글로벌 감자떡. 음식 문화의 세계화

[인생여행 17] 머니 머니 해도, Money 감자떡

세계화는 운송비를 능가하는 저렴한 가격에
품질까지도 좋은 다양한 상품을 가져다준다.

독일 감자 전분, 태국 타피오카, 미얀마 동부
강원도 없는 감자떡이 된 글로벌 감자떡이다.

바야흐로 Money 전성시대 신토불이는 옛말
애국자보다 합리적 소비자 시대에 살고 있다.

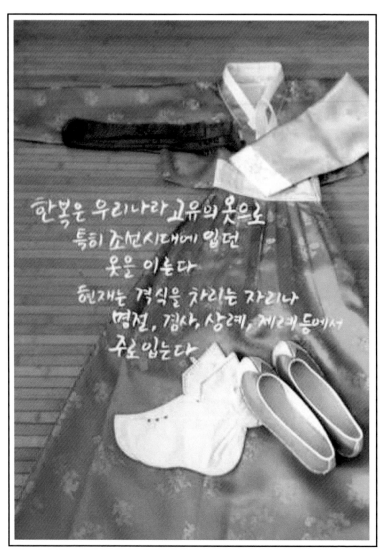

한복은 우리나라 고유의 옷으로 특히 조선시대에 입던 옷을 이른다 현재는 격식을 차리는 자리나 명절, 경사, 상례, 제례 등에서 주로 입는다

조카 ㄱㅁ의 결혼식 날 입었던 한복이다.

[인생여행 18] 나의 한복 치마저고리

빨간 고름에 흰 끝동, 노란 저고리와 파란 치마
한복은 선의 아름다움만큼 보색 조합이 중요하다.

곱게 차려입고 정성스러운 마음으로 축하합니다.
오늘의 신랑 신부는 평생에 가장 멋진 날입니다.

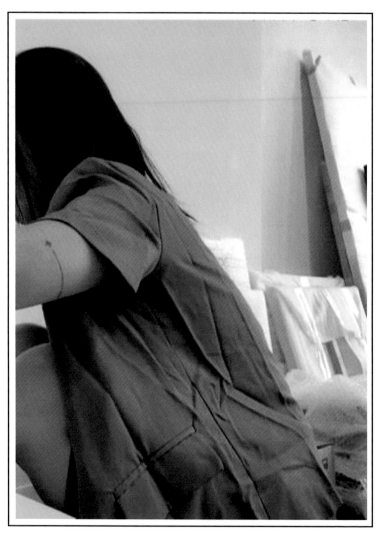

자부심 있는 멀티 알바생

[인생여행 19] 알바생 자부심으로 안 주워 입고

큐레이터에서 페인트공?

자켓 주름은 요즘 트렌드?

> ㅋㅋㄱㄱㅋㄱ기

> 당근에서 자켓바지 한벌해서
> 오처년주고 샀다구..

너는 진심 당근녀

의식주 아껴서 항공사 기부하라 효신
입덕하라

> ㅋㅋㄱㅋㅋㄱㄱㄱㅋ

> 그런거지...

> 하지만 옷도 사입고 있다는게 중요하지
> 않겠어요?

> 안주워입고

30여 년 전. 김여사의 숏 팬츠

최근. 김여사의 백팩

[인생여행 20] 패션리더 김여사와 복고패션 도라

돌고도는 인생 돌고돌아 패션
엄마 패션 세대 너머 딸 패션

옷장 속 숨어 있던 엄마 패션
소생시킨 짠내도라의 인간승리

딸 도라의 돌아 온 복고패션은
환경사랑 인생유전의 열일승리

행복도 건강도 노력의 산물이다.

[인생여행 21] 몰입은 행복

미치면(狂) 미칠(致) 수도 있다.
행복은 우연히 찾아오지 않는다.

이 나이에 밥만큼 약 먹지 않고
큰 탈 없이 잘 지낼 수 있는 것은

'몰입'이 답이라 혼자 생각했는데
심리학적 연구 결과라니 확신일세.

한국인은 자녀에 대한 애착 관계가 유별나다. 캘리김여사가 넋두리한다.
자식과 부모는 서로가 서로에게 자유를 돌려줍시다!

[인생여행 22] 자식은 노년 최대의 리스크?

인간은 생로병사 한다. 998834라고, 99세까지 88하게 살다가 3~4일 지나 죽는 복은 아마도 전생에 나라를 여럿 구해도 쉽지 않을 듯하다.

노년에 이빨 빠진 허울만 좋은 호랑이로 살지 않으려면, 일찍이 고구마 같은 자식들을 버려야 함께 사는 길이란다. 알면서도 속고 사는, 부모 자식 간의 관계는 똑똑하면 똑똑해서 못나면 못나서 드는 유지비가 다를 뿐이다. 자식 리스크를 벗어나는 것은 결국 부모의 현명한 선택이다.

스무 살 지난 어른 자식이면, 캥거루 배 주머니에서 놓아줍시다. 그들도 자신의 인생에서 책임질 기회를 신성하게 행사하고, 부모는 꼰대 취급받기 전에 스스로 독립합시다.

요즘 핫한 탕후루는 과일에 설탕 시럽을 입힌, 중국의 전통 디저트 과일 사탕이다.

[인생여행 23] 탕후루의 비극

추석에 다니러 온 딸이 뜬금없이 탕후루를 만들고 싶다 했다. 샤인 머스캣을 얼리고 설탕 시럽에 물엿을 첨가하면 더 맛있게 할 수 있다 하여 그러려니 지켜봤다.

조금 후 시럽은 타고 물엿이 딱딱해서 망했다며 나더러 먹어보라 했다. 예의상 맛만 봐야지 하면서 "엿 잘못 먹다가 틀니 빠진다더라. 조심해서 먹어라." 했다. 그리고 한 입 베물며 돌아서는 순간 아뿔싸 입안에 심상치 않은 일이 일어났음을 감지했다.

몇 년 전 때운 치아 보철물에 엿이 들러붙어 내가 바로 그 비극의 주인공이 되었다.

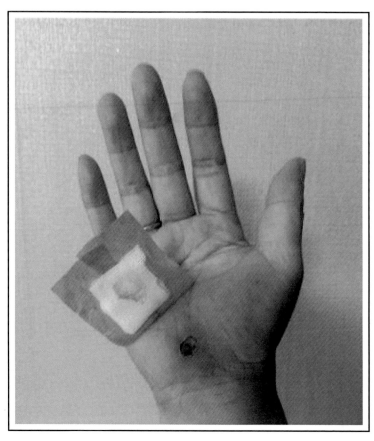

한동안 두문불출해왔던 내가 사마귀와의 이별을 결심한 것은 세상을 향한
출정(出征)이었다.

[인생여행 24] 애증의 사마귀와 이별하다

3년 전쯤부터 오른쪽 손바닥에
티눈처럼 자라 나왔던 사마귀를

제거하려 시도했던 세월이 허사
드디어 오늘 끝장내기로 하였다.

의사선생님이 레이저로 지져대고
인정사정없이 뿌리까지 뽑아냈다.

불청객으로 뭇 시선을 견뎌 왔던
애증의 사마귀에 이별을 고하였다.

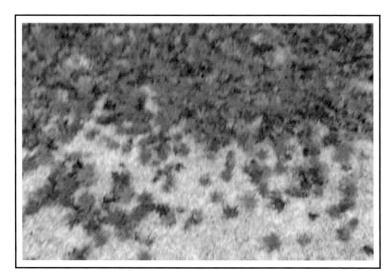

곱던 단풍이 며칠 사이 마르기도 전에 다 떨어져 버렸다.

[인생여행 25] 낙엽도 준비할 시간이 필요하다

기온이 영하로 뚝 떨어지더니
단풍잎이 갑자기 우수수 떨어져 버렸다.

낙엽도 물들고 마르면서
떨어질 때까지 준비할 시간이 필요하다.

진로여행

나이가 든다는 것은 수행 과정의 선문답이다. 겪어 나갈 인생길이 첩첩
산중이라 '야호' 하면 메아리로 돌아올까?

[진로여행 1] 선문답. 은퇴 진로란?

스승: 진로란 무엇인가?

제자: 다음 세대가 미래를 설계하는 것입니다.

스승: 은퇴 진로란 대체 무엇일까?

제자: 본시 진로란 은퇴 후가 아닌, 젊은 세대의 준비 과정입니다.

스승: 준비 없이 백세 시대가 열렸다. 긴 노후에 몸과 마음이 건강 하려면, 진로 계획은 어느 세대든 똑같이 존중받아야 마땅하다.

제자: ??

두 발로 실버 디지털 노마드를 꿈꾼다. 김여사나 캘리김여사는 아들딸과 친구들이 불러주는 애칭이다.

[진로여행 2] 캘리김여사의 프로필

캘리김여사는 캘리그라퍼와 미숙하지만 실행력을 가진 김여사의 합성어이다.

1. 현재직업: 중등 사회 교사
2. 좌 우 명: 돌아보지 않는다
3. 은퇴진로: 꿈꾸는 대로!

흘러가는 이대로 갈 것인가?
열심히 산 그대. 굳이 뭘 하지 않아도 충분하다.

지금부터 20년 후까지 새로울 것인가?
산 만큼 더 산다면, 건강한 몰입은 꼭 필요하다.

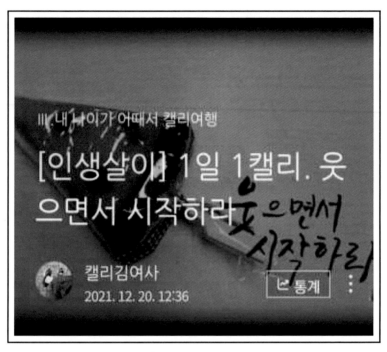

1일 1캘리그라피 쓰기는 쉽지 않은 용기가 필요하다. 웃으면서 시작하라.

[진로여행 3] 웃으면서 시작하라

시작을 시작하기가 몹시 두려우니,
시작하면 이미 시작이 반인 셈이다.

다들 완벽한 시작을 하고 싶어 해요.
때로 저지르고, 준비할 수도 있어요.

순서를 바꾸어도 큰일 나지 않아요.
1일 1캘리 쓰기 웃으면서 시작해요.

어느 청명한 날 교무실 창문 너머 보이는 금오산. 뭔가를 시작하기도 힘들지만, 지속하기는 더 힘들다. 오래오래 변질되지 않으며 꿈꾸는 대로 가고 싶다.

[진로여행 4] 서두르지 말고, 멈추지도 말고

가끔 쉼표를 찍으며
서두르지 말고, 멈추지도 말고

새로운 시작을 꿈꾸며
오래오래 지속하기를 바랍니다.

과거 한 우물 시대가 현재 열 우물 시대로 달라졌다.

[진로여행 5] 열 우물을 파라

야매. 짝퉁. 짭은 진품이 아님을 말하는 동의어다. 싼 티가 나는 언어라도 정감이 있어 가끔 쓴다.

야매 캘리그라퍼. 짝퉁 블로거. 짭 투자자 등 2%가 아닌 20% 이상이 부족해도 유사 멀티 엔터로 출발이다.

생면부지의 분야에서 진품처럼 보이려고 너무 애쓰지 말고, 자연스럽게 동화되어라. 작은 기쁨을 얻는 시간이면 그것만으로도 충분히 가치가 있다.

열 우물을 파서 작은 샘이 솟는 곳. 거기서 정박하리다.

캘리그라피 입문 교본

초 보 자 용

이 교본은 나의 싸부 '화담' 캘리그라피 블로거의 도움으로 완성하였다.

[진로여행 6] 왕초보가 만든 캘리그라피 교본

얼렁뚱땅 왕초보의 캘리 교본
실용 소책자로 제본하면 완성

앎과 실행력의 영역은 별개다.
목표가 분명하면 길은 열린다.

스마트폰과 붓펜 만으로 가능
저비용 고효율의 취미로 강추

배움으로든, 필요에 의해서든
일상의 변화는 놀라운 힘이다.

베스트셀러 작가가 아닌, 나만 보면 되는 일상 작가는 글을 못 써서 그림 솜씨가 형편없다고 하지 못할 이유는 없다.

[진로여행 7] 누구나 내 안에 '작가' 있다

사연 없고 굴곡 없는 인생이 있으랴
살아 온 그 자체가 훌륭한 작품이다.

굳이 정해진 양식이나 기준이 없어도
글로 쓰고 그림이나 사진으로 옮기면

일상 작가는 누구에게나 소일거리이다.
나이 들수록 건강에 큰 힘이 몰입이다.

하지 못할 이유는 수백 가지로 많으나
해야 할 분명한 목표 하나면 충분하다.

워킹맘의 출퇴근과 일상은 시간과의 전쟁이다. 자동차는 대중교통과 비교할 수 없는, 공간 거리를 시간으로 극복해 주는 반려이다.(시간의 혁명)

인터넷의 활용은 재택 업무 처리와 행정 업무, 온라인 쇼핑 등으로 엄청난 공간의 이동을 줄임으로써 시간의 절약은 물론 경제적 효율성까지 가져다주는 반려이다.(공간의 혁명)

[진로여행 8] 인생 최고의 반려 자동차와 인터넷

사람이 살아가는데 사람만이 반려가 되는 것은 아니다. 반려자, 반려동물 등 반려가 이슈인 시대에 나에게 평생 유익한 삶을 반려해 준 두 가지를 들라 하면, 단연 자동차와 인터넷이다. 살아오는 내내 감사하고 있으며, 앞으로도 함께 할 1순위의 반려 벗이다.

1. 시간의 혁명

2. 공간의 혁명

3. 시공의 기적
은퇴 이후 펼쳐질 삶에서 시간과 공간을 극복할 수 있는 기반이 된다. 꿈꾸는 대로 디지털 노마드의 시작이다.

「세 사람이 같이 길을 가면 반드시 내 스승이 있다.」는 뜻으로, 세 사람이 어떤 일을 하면 좋은 것은 본받고, 나쁜 것은 경계(警戒)하게 되므로 선악(善惡) 간(間)에 반드시 스승이 될 만한 이가 있다는 말.

싸부의 일상 도전을 응원합니다. 싸부는 나에게 항상 좋은 정보를 알려주고, 개선할 점은 피드백해 줍니다.

[진로여행 9] 싸부. 삼인행이면 필유아사라

세 살 어린아이에게도 배울 점이 있다.

싸부와 나는 케미(chemistry)가 넘치는 친구입니다. 3년째 나의 지지 팬으로 참 고마운 사람입니다. 은근과 끈기로 한결같이 한 우물을 파고 있어 배울 점이 많습니다.

나이가 벼슬도 아닐진대 핑계와 포기가 자연스러워질 때 만났지만 나이가 무색하게 도전을 일상화하는, 좋은 본보기가 되는 분입니다.

큰 손 ㅇㅈㅎ 여사는 한 소쿠리 가득한 열무로 김치를 담아 친구들 모두
에게 바리바리 싸 주었다.

[진로여행 10] 친구 부부의 준비하는 농심

올해 여름 ㅅㅎ, ㅈㅎ, ㅈㅎ, ㅅㄷ,ㅁㄱ
동창 만남은 ㅈㅎ 부부의 별장에서 했다.

지인 중에 누군가 전원에서 살 수 있다면
더불어 노년의 벗이 되리라 생각해 왔다.

인심도 넉넉한 ㅈㅎ가 그 몫을 선택했고
나머지 친구들과 편승하리라 기대해 본다.

ㅈㅎ와 맥가이버 남편의 야무진 손끝에서
탄생할, 그림 같은 집을 꿈처럼 그려본다.

친구야. 먹여주고 재워주고 싸주고 고맙다.
너희 부부의 멋진 앞날 진심으로 응원한다.

바다를 부르는 홍합밥의 테라피는 양념장에 식초 대신 레몬즙을 써서 건
강한 자연 밥상을 완성하는 것이 핵심이다.(지역 도서관 프로그램)

[진로여행 11] 친구와 함께 푸드 테라피

세상 수많은 어쩌다 보니 계획에 없던 인생 여로
그중에 오늘은 친구 따라 건강 밥상 푸드 테라피

하늘의 뜻을 거스르지 않고 선한 마음 섭리대로
치유의 먹거리를 내 손으로 먼저 실천해 봅시다.

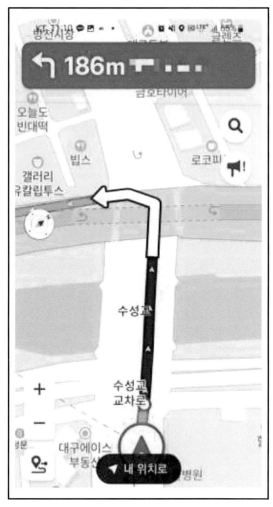

항상 내 위치로 길라잡이가 되어 주는 내비게이션

[진로여행 12] 내비는 보는 것이 아닌 듣는 것

자동차 내비 사용 수 삼 년에 보는 것이 아니라
듣는 것임을 최근 와서야 비로소 깨닫게 되었다.

내비게이션 안내를 경청하면 목적지에 문제없이
갈 수 있음에도 먼저 눈으로 보고 확인하려 한다.
운전은 편리한 이동 수단이나 심리적 위험 속에
사고가 나지 않아도 노심초사 좌불안석하며 간다.

자녀의 내일도 그렇다. 나의 앞날에도 그러하다.
내비게이션의 친절한 안내를 잘 듣고 가면 되듯
스무 살 지났으니 저나 나나 동급 성년 인격체로
굳이 봐서 확인 말고 잘 있겠거니 듣고 믿읍시다.

엄마 돈 떨어졌다는 전화 오면 오각 동원 딜해서
내비 도움 없는 자식 리스크나 잘 피해 나갑시다.

갇힌 길 위에서 멍 때리며 일과를 점검하고, 다음 계획을 세우는 것도 좋다.

[진로여행 13] 길 위의 시간

날마다 왕복. 두 번씩 낙동강을 건넌다.
꼬박 40분씩 오가며 도로 위에 고립된다.

6km 우회하면 15분 시간이 단축되지만
갇힌 길 위는 브레인스토밍하기 좋은 곳

내일도 멈출 수 없는 이 길을 가야 한다.
길 위에 서 있는 다른 인생을 보며 간다.

상추 모종을 아파트 베란다 화분에 심으니 웃자란다. 여간해서는 땅의 힘을 극복하기 어렵다.

[진로여행 14] 채소를 화초로 키우면

수확이나 결과에 너무 얽매이면 고달파집니다.
때로는 과정이 더욱 빛날 때도 있는 거랍니다.

채소를 화초로 키우면, 정신세계가 풍요로워요.
자고 일어나면 초록초록 크는 기쁨을 안겨줘요.

수국은 오래된 아파트 정원 그 자리에 늘 있었다. 내가 몰랐을 뿐, 계절에 맞는 소담스러운 꽃을 피워왔다.

[진로여행 15] 수국. 천 개의 얼굴

이 나이 먹도록 수국이 지녀온
천 개의 얼굴을 보지 못하였다.

지난해 삽목을 하며 알게 된 것은
토양의 성질에 따라 색깔이 달라져

붉은 꽃 산성, 중성은 흰색 수국
파란 꽃은 알칼리성 땅에서 핀다.

봄, 여름과 가을의 계절을 잊도록
늘 그 자리를 지키며 꽃을 피웠다.

수국의 소담스런 천 개의 마음으로
더 넓고 큰 세상을 관조하고 싶어라.

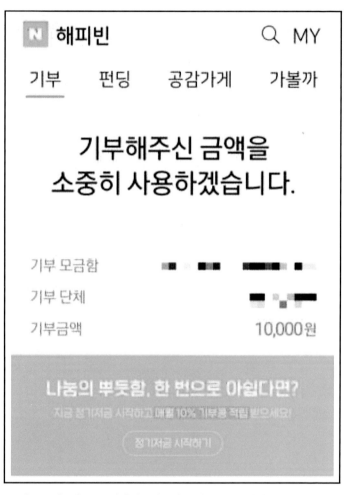

블로그에 글 한 개 포스팅하면, 기부빈 1개 = 100원이다. 기부빈 10,000원은 100편의 글을 썼다는 것과 기부하는 사람이 되었다는 의미이다.

(출처: 네이버 해피빈)

[진로여행 16] 기부빈. 드디어 해냈다

시작이 있었으니 목표가 생기고
그 목표는 결실을 이뤄냈습니다.

나에게 기부빈 10,000원은 단순히
그저 그러한 액수가 절대 아닙니다.

100일간의 과정과 스토리가 깃들은
100편의 글과 노력의 업(業)입니다.

선생님은 캘리김여사

캘리김여사

교사라는 직업을 노출해서 얻은 장점은 콘텐츠와 아이템에 대한 제약이 대거 줄어듦이다. 학교 밖이 위험하다지만 아무것도 하지 않는 것이 더 위험하다. 블로그가 은퇴 진로 베이스캠프의 역할을 해냈으면 하는 바램이다.

[진로여행 17] 은퇴 진로 베이스캠프. 블로그

세상에는
교사에 대한 장벽이 너무나도 많다.

다른 직업군에는 기대도 없는
해야 할 것도 하지 말아야 할 것도

전쟁터가 아님에도 하루같이
출근할 때 갑옷을 입고서 이겨내었다.

이제 그 짐을 내려놓을 때가 다가온다.
편견을 벗고 새로이 블로그를 시도한다.

블로그는 기록의 도구이자 포트폴리오
은퇴 진로에 대한 베이스캠프 역할이다.

친구 ㅈㅎ가 그린 그림. 목차는 '편한 대로 보는, 덤으로 보는'으로 120편
구성할 예정이다.

[진로여행 18] 홀로. 자가 출판

1. 도서명
   가칭 [은퇴진로] 선생님은 캘리김여사

2. 표지
   색상 및 디자인, 폰트 결정과 책 사이즈 및 날
   개 선택 등

3. 목차
   교단일기(30편), 워킹맘일기(25편), 인생일기
   (25편), 진로일기(20편), 캘리일기(20편)

4. 쪽 구성
   1) 240쪽 정도
   2) 왼쪽은 이미지 배치, 오른쪽은 5~10줄 내
      외 글로 배치

5. 기타
   저작권 검토 등 문제 해결, 자가 출판 사이트
   에 가입하고 절차대로 실행

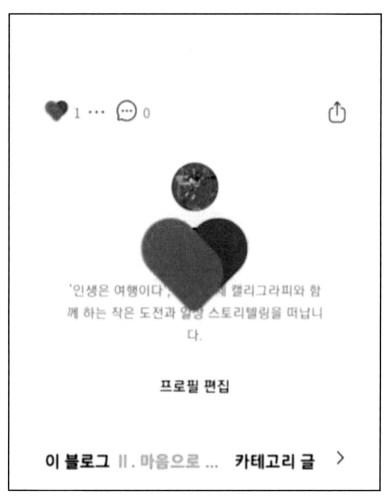

우리는 유독 나에게 인색하고 칭찬하지 않는다. 인생 별것도 없는데, 내가
나를 대접하고 아낌없이 내 편이 되어야 남으로부터 대접받는다.

(출처: 네이버 블로그)

[진로여행 19] 나는 나를 칭찬해요

아무도 나를 칭찬해 주지 않아도
내가 알고, 나를 칭찬하면 된다.

블로그 포스팅 후 자신의 글에도
❤ 뽕 할 수 있는 기능이 있어서

나는 나의 글에 가장 먼저 '좋아요'
하트를 클릭하고 나에게 감동한다.

스스로에게 작은 용기를 북돋운다.
내가 나를 대접하고 내 편이 된다.

궁금하면, 가보면 되지.

[진로여행 20] 만들어 가는 운명으로

운명(運命)의 사전적 의미는 모든 것을 지배하는 초인간적인 힘 또는 그것에 의하여 이미 정해져 있는 목숨이나 처지이다.

나는 이미 정해진 운명이 아니라, 스스로 만들어 가는 은퇴와 그 후의 진로를 꿈꾼다.

내가 가보지 않은, 새로운 길을 찾으며 '해 낼 수 있는 힘', 또 다른 운명을 믿어 본다.

덤으로 보는

캘리여행

[캘리여행 1] 생택쥐페리_사랑이란. 둘이서 같은 방향

사랑이란?

[캘리여행 2] 릴케_인생을 꼭 이해할 필요는 없다

인생을 꼭 이해할 필요는 없다
인생은 축제와 같은 것

매일 흘러가는 대로 살아가라

하루 하루를 일어나는 그대로 맞이하라

라이너 마리아 릴케

예천 회룡포 가는 길

[캘리여행 3] 부처님_마음에는 네 가지 병이 있다

ㅅㅅㄱ 선생님이 찍은, 해 질 녘 성주댐

[캘리여행 4] 탈무드_꿈과 욕심의 차이

만국기와 체육대회

[캘리여행 5] 윤동주_눈 감고 간다

어려움에 부닥치면, 정신 바짝 차려라.

[캘리여행 6] 푸시킨_삶이 그대를 속일지라도

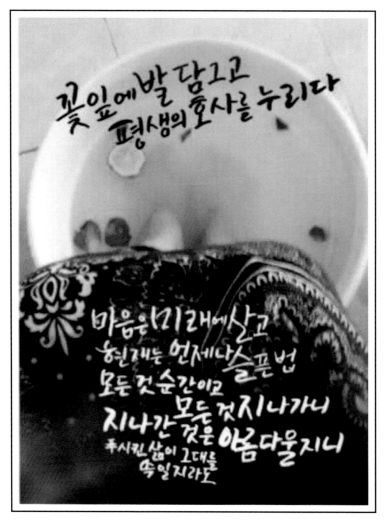

꽃잎에 발 담그고 평생의 호사를 누리다

바음은 미래에 살고 현재는 언제나 슬픈 법 모든 것 순간이고 모든 것 지나가니 지나간 것은 아름다울지니 푸시킨 삶이 그대를 속일지라도

평생의 호사

[캘리여행 7] 톨스토이_가장 중요한

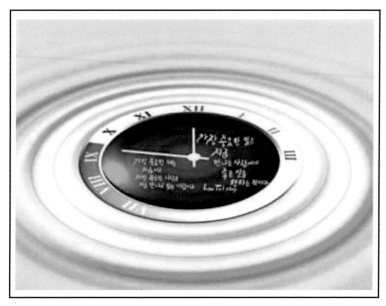

가장 중요한 것은 지금. 지금. 지금이다.

[캘리여행 8] 한용운_나룻배와 행인

지금부터 당신은 나룻배, 나는 행인이 되어요.

넓은 벌 동쪽 끝으로
옛이야기 지줄대는
실개천이 휘돌아 나가고

얼룩백이 황소가
해설피 금빛
게으른 울음을 우는 곳
그곳이 차마 꿈엔들 잊힐리야

정지용 향수

마음의 안식처라면, 그곳이 참 고향이리라.

[캘리여행 10] 김영랑_미움이란 말

억지로 미움을 멈추지 말아요. 세월이 약이더이다.

[캘리여행 11] 윤동주_새로운 길

익숙해도 좋고, 새로우면 설레서 기대된다.

[캘리여행 12] 매들린 브리지스_인생 거울

뿌린 만큼 거두리라. 살아온 인생이 반사 거울이더라.

[캘리여행 13] 김소월_부모

나의 자식이 자식을 낳으면, 나의 자식은 그 자식의 부모가 되어요.

[캘리여행 14] 권태응_감자꽃

자주꽃핀건 자주감자
파보나마나 자주 감자

하얀꽃핀 건 하얀 감자
파보나 마나 하얀감자
ー권태응 감자꽃

근본은 감출 수가 없어요.

[캘리여행 15] 김영랑_마당 앞 맑은 새암

맑은 새암 깨끗한 거울로 내 영혼을 닦아요.

[캘리여행 16] 빅터 위고_계획

무계획이 가장 멋진 계획이라던 시절은 흘러 가버렸다.

[캘리여행 17] Thomas Fuller_방황과 여행

ㅂㅂㄴ 선생님이 찍은 무주 리조트. 나는 현명한 여행자이고 싶다.

[캘리여행 18] 쥘 르나르_인생은 아름다워

아름다운 나의 인생을 언어로 더욱 멋지게 표현하라.

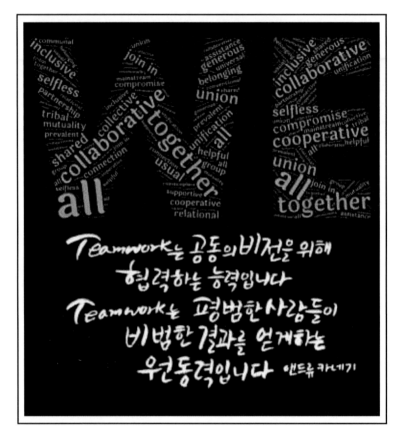

협력의 기적

장미는 색깔별로 다른 꽃말이 있다. 주황색은 '수줍은 사랑'이다.

두 발로 꿈꾸는, 디지털 노마드

일상 작가는 누구에게나 소일거리이다.
나이 들수록 건강에 큰 힘이 몰입이다.

하지 못할 이유는 수백 가지로 많으나
해야 할 분명한 목표 하나면 충분하다.

맺는 말

난생처음 맨땅에 헤딩하며 자가 출판을 시작해서 드디어 끝이 났
다. 캘리글라피와 블로그에 쓴 글이 있으니 엮으면 책이지 별거 있
겠나 하는 안일함으로 출발했다. 저작권 문제나 포토샵 등 해 보지
않은 일을 혼자서 해내는 것은 새로운 도전의 연속이었다. 출판 과
정은 그 자취마다 김티처가 아닌 향후 캘리김여사의 삶에 뭐라도
해낼 수 있는 디딤돌이 될 것이다. 나는 스스로 나를 칭찬한다.